まちごとチャイナ
上海 005

虹口と市街北部
蘇州河以北と日本人の「足跡」
［モノクロノートブック版］

JN121919

黄浦江に合流する蘇州河以北に位置する虹口。上海中心部の華やかなイギリスやフランスの租界と違って、外白渡橋（ブリッジガーデン）を渡ると、街の雰囲気がまるで異なる世界が広がっていた。

　1870年以後、上海に進出した日本人はこの虹口に日本人街を形成し、最大10万人もの人々が暮らしていた。黄浦江沿いの客船埠頭では長崎と上海虹口を行き交う船が往来し、虹口の商店では「日本の商品ならなんでも手に入る」と

言われるほどだった(かつて日本内地に対して、台湾、朝鮮、満州など外地と呼ばれる世界があった)。

　こうした日本と深い関わりをもつ虹口も、21世紀を迎えるなかで、再開発が進み、高層ビルが立ちならぶようになった。一方で、戦前に日本人も暮らした里弄と呼ばれる上海独特の集合住宅が残るなど、上海に生きる庶民の暮らしぶりが今なお息づいている。

Asia City Guide Production
Shanghai 005

Hongkou

虹口／hóng kǒu／ホンコウ

まちごとチャイナ ｜ 上海 005 ｜

虹口と
市街北部

蘇州河以北と日本人の「足跡」

「アジア城市（まち）案内」制作委員会
まちごとパブリッシング

Contents

虹口と市街北部

★★☆
外白渡橋／外白渡桥 ワイバイドゥチャオ
魯迅公園／鲁迅公园 ルウシュンゴンユゥエン
玉佛禅寺／玉佛禅寺 ユゥフウチャンスー
上海馬戯城／上海马戏城 シャンハイマアフウチャン

★☆☆
蘇州河／苏州河 スーチョウハア
閘北／闸北 チャアベイ
上海駅／上海站 シャンハイチャアン
東虹口／东虹口 ドンホンコウ
五角場／五角场 ウージャオチャアン

上海の周縁と日本租界

戦前、10万人もの日本人が暮らした虹口
ここは長崎から一昼夜で到達できる
日本の外地にあたった

虹口のはじまり

　運河「虹口クリーク」が黄浦江に流れこむ地点にあたる虹口は、古くは洪口といったが、ここにかかる虹橋(江南で見られる虹のようなアーチを描く橋)にちなんで清代から虹口と呼ばれるようになった。1848年、イギリス租界北側のこの地にアメリカ租界がおかれ、宣教師などが拠点を構えたことで発展がはじまった。上海中心部に対して、地価や家賃が安いことから、広東や寧波から多くの中国人が移住してきた。また19世紀末以降、日本人が虹口に集住するようになり、くわえて貧しい白系ロシア人やユダヤ難民も集まった。アメリカ租界とイギリス租界をあわせて1863年、共同租界が誕生し、「日本租界」と呼ばれた虹口は正確には共同租界の一部を構成していた。

日本人街の形成

　1871年に結ばれた日清修好条規以降、日本人は上海に進出するようになり、日清・日露戦争の勝利がそれを加速させた。虹口に集住した日本人は、ここで町内会を組織し、自警団や日本軍人が治安維持にあたった。虹口には日本の学校や商店、神社、本願寺、病院、畳店がならび、日本人は上海で

虹口

魯迅墓

魯迅
公園

虹口
足球場

魯迅
紀念館

地鉄三号線

魯迅公園

魯迅故居

内山書店
旧址

多倫路文化
名人街

東宝
興路

中興
路

海倫路

郵電
新村

地鉄10号線

地鉄四号線

1933
老場坊

虹口クリーク

四川
北路

宝山路

宝
山
路

虹口
(上海大厦)

四川
北
路

海寧路

天潼路

上海
大厦

浦江
飯店

外白渡橋

曲阜路

地鉄12号線

蘇
州
河

0km

2km

外灘

西蔵
北路

N

もっとも多い外国人となっていた。20世紀以降の人口増加によって日本人街は北へ拡大され、やがて日本人は共同租界の北限を越えて暮らすようになった。海路で長崎と上海が一昼夜ほどで結ばれていたこともあり、（長崎から東京へ行くよりもはるかに近い）虹口は「長崎県上海市」ともたとえられた。この地に暮らした日本人は、外灘や南京東路のある蘇州河南の地を「河向こう」と呼んだという。

周縁から育まれる文化

作家魯迅(1881〜1936年)は、租界警察の目を逃れるため虹口で晩年を過ごした(その左翼的な思想から国民党政権ににらまれていた)。この魯迅を援助したのが日本人の内山完造で、魯迅は内山完造名義で部屋を借りたほか、虹口には多くの中国人作家、演劇人、映画人も暮らしていた。虹口は上海に対する周縁としての性格をもち、上海でもっとも早くに映画館が建てられたほか、1930年代の街並みを再現した「多倫路文化名人街」、屠殺場を改装した文化商業施設「1933老場坊」、虹口に隣接して上海雑技団の最高峰「上海馬戯城」も位置する。

★★☆
外白渡橋／外白渡桥 ワイバイドゥチャオ
1933老場坊／1933老场坊 イイジィウサンサンラオチァンファン
四川北路／四川北路 スーチャンベイルウ
多倫路文化名人街／多伦路文化旅游街 ドゥオルンルウウェンファアリュウヨウジエ
魯迅故居／鲁迅故居 ルウシュングウジュウ
魯迅公園／鲁迅公园 ルウシュンゴンユウエン

★☆☆
蘇州河／苏州河 スーチョウハア
浦江飯店／浦江饭店 プウジィアンファンディエン
上海大厦／上海大厦 シャンハイダアシャア
内山書店旧址／内山书店旧址 ネイシャンシュウディエンジュウチイ
魯迅墓／鲁迅墓 ルウシュンムウ
魯迅紀念館／鲁迅纪念馆 ルウシュンジイニィエングァン

キリスト教会の鴻徳堂、多倫路文化名人街にて

上海雑技（サーカス）が演じられる上海馬戯城

虹口に残る集合住宅里弄、路地を住人で共有する

蘇州河にかかる外白渡橋が 外灘と虹口をわける

Hong Kou
虹口城市案内

**虹口クリークを使って物資は運搬された
かつて日本人街として栄えた虹口も
わずかにその名残をとどめている**

蘇州河／苏州河 ★☆☆
sū zhōu hé
そしゅうが／スーチョウハア

　上海市街部を西から東に蛇行しながら流れ、黄浦江に注ぐ蘇州河（ちょうど「T」字を倒したかたちになる）。明代の1400年ごろに治水が行なわれるまで、黄浦江よりも大きな流れだったと言われ、上海の街は両者が合流する地点に開けた。蘇州河は1848年、この地に租界を構えたイギリス領事オールコックによって蘇州に通じる河と命名され、上海と内陸の蘇州や南京に通じる交通網となっていた（太湖を水源とする）。呉淞江の名前でも知られる。

漁村と運河の上海

　上海の古名を「滬瀆」と言い、滬（沪）は「魚をとる漁具」を、瀆は「運河（クリーク）」を意味する。こうした地名からも、上海の地は漁業が盛んで、無数の水路が張りめぐらされた水郷地帯の性格をもってきた。上海は宋元代には水利を利用した港町として発展し、黄浦江を行き交う無数のジャンク船の姿があった。古くこの地には黄浦江上流の「上海浦（豫園のある旧上海県城）」と下流の「下海浦（虹口東の楊樹浦）」と呼ばれる地名があり、上海の地名はこの上海浦に由来する。

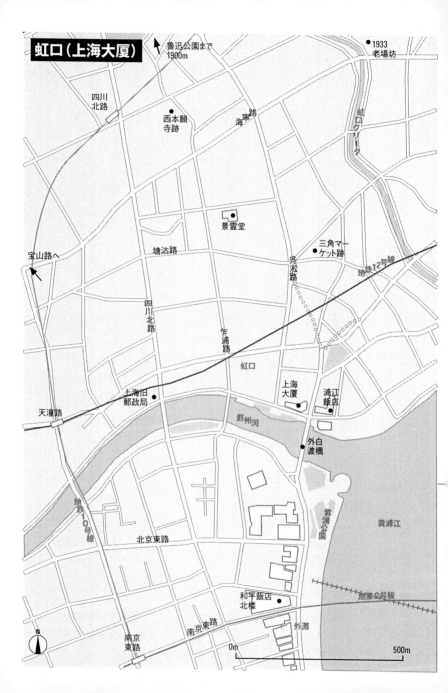

外白渡橋／外白渡桥★★☆

wài bái dù qiáo

がいはくどきょう／ワイバイドゥチャオ

　蘇州河にかかり、外灘と虹口を結ぶ長さ72m、幅17mの外白渡橋。渡し場があったところに、1856年、かけられた橋を前身とする。この橋はあるイギリス人が私的にかけたため通行料をとっていたが、1873年、上海工部局によって浮き橋が整備され、通行料を無料としたので外白渡橋と呼ばれた（白とは無料のことで、「外」国人だけが「白渡」できる橋だという説もある）。1907年、上海ではじめての鉄骨製の橋となり、「ガーデン・ブリッジ」の名前で親しまれていた当時の姿を今でも伝える。中国人や日本人の暮らす東洋と、西欧人の暮らす租界を結ぶ象徴的な橋として知られていた。

各国の進出と領事館

　租界時代、日本領事館、アメリカ領事館、ロシア領事館が虹口の蘇州河北岸にならんでいた（浦江飯店の南側）。1894年の日清戦争以後、西欧列強の中国進出が進み、各国は清朝への賠償金や軍事費を貸しつけることで、中国の鉄道や鉱山の利権をおさえていった。居留民保護の任務にあたった日本の領事館は、南蘇州路から1873年に虹口に移り、以後、日

★★☆
外白渡橋／外白渡桥 ワイバイドゥチャオ
1933老場坊／1933老场坊 イイジィウサンサンラオチャンファン
四川北路／四川北路 スーチャンベイルウ

★☆☆
蘇州河／苏州河 スーチョウハア
浦江飯店／浦江饭店 プウジィアンファンディエン
上海大厦／上海大厦 シャンハイダアシャア
上海旧郵政局／上海邮政总局 シャンハイヨウチェンツォンジュウ
呉淞路／吴淞路 ウウソンルウ
三角マーケット跡／三角市场旧址 サンジャオシイチャンジュウチイ
乍浦路／乍浦路 チャアプウルウ
西本願寺跡／西本愿寺旧址 シイベンユゥアンスウジュウチイ

本人の虹口居住が進んだ(現在の旧日本領事館の建物は、1911年に
建てられた)。

浦江飯店／浦江饭店★☆☆
pǔ jiāng fàn diàn
ほこうはんてん／プウジィアンファンディエン

　上海黎明期の1860年に創業した上海初の欧風ホテル「ア
スターハウス」を前身とする浦江飯店。中国ではじめて電灯
や電話が整備され、ダンスホールのバンド生演奏、バーのカ
クテルなどで話題を呼んだ。現在の建物は1912年に建てら
れ、アインシュタインやチャップリンも宿泊したクラシッ
ク・ホテルの代表格となっている。

上海大厦／上海大厦★☆☆
shàng hǎi dà shà
しゃんはいたいか／シャンハイダアシャア

　蘇州河にのぞむピラミッド型の上海大厦は、長らく上海
のランドマーク「ブロードウェイ・マンション」として知ら
れていた(ニューヨークの摩天楼で考えられた高層建築の容積や外観の
影響が見られるという)。高さ78.3m、22階建ての建物は1934年
に建てられ、上層階からは外灘の美しい景色を見ることが
できる。「上海の王」と呼ばれたサッスーン財閥の所有だっ
たが、1939年以降、日本のものとなり、日本海軍への物資調
達を行なった児玉機関、「男装の麗人」として知られた川島
芳子などが拠点をおいた。

上海旧郵政局／上海邮政总局★☆☆
shàng hǎi yóu zhèng zǒng jú
しゃんはいきゅうゆうせいきょく／シャンハイヨウチェンツォンジゥウ

　蘇州河に面して立つ上海旧郵政局。4階建ての植民地建
築で、そびえる塔は高さ49.5mになる。重厚な石づくりと
なっていて、博物館が隣接する。

蘇州河に面して領事館がならんでいた

虹口で晩年を過ごした文豪魯迅

すっかりとさま変わりした呉淞路

戦前、上海のランドマークのひとつだった上海大厦

呉淞路／吴淞路★☆☆
wú sōng lù
ごしょうろ／ウウソンルウ

蘇州河から北へと伸びる呉淞路は、四川北路とともに虹口を代表する通りとして知られる。戦前、この通り界隈に日本人が多く暮らしていて、日本の商店、映画館、バーなどが軒を連ねていた。今では再開発が進んでいる。

三角マーケット跡／三角市场旧址★☆☆
sān jiǎo shì chǎng jiù zhǐ
さんかくまーけっとあと／サンジャオシイチャンジュウチイ

呉淞路に面した三角形の土地には、かつて「東洋一」と謳われた三角マーケットが立っていた。1916年に開かれた公設市場をはじまりとし、3階建ての建物には野菜、魚、肉などを売る1700店舗が入居していたという(3階には遊技場もあった)。この市場には、長崎から新鮮な野菜や魚が運ばれ、虹口で暮らす日本人の食生活を支えた。

乍浦路／乍浦路★☆☆
zhà pǔ lù
さほろ／チャアプウルウ

上海を代表する美食街として知られる乍浦路。海鮮や小籠包などの上海料理、家庭料理を出す店などがならび、看板が道の両端から突き出している。このあたりは戦前に日本人が多く暮らし、映画館やダンスホールでにぎわう虹口を代表する繁華街でもあった。

西本願寺跡／西本愿寺旧址★☆☆
xī běn yuàn sì jiù zhǐ
にしほんがんじあと／シイベンユゥアンスウジュウチイ

日本人の虹口進出にあわせて、1906年、創建された西本願寺。この建物は1931年に完成し、築地本願寺を意識した意

匠が見られる（当時、本堂のうえにインド・ブッダガヤ様式の塔があったが、現在は立っていない）。

1933老場坊／1933老场坊★★☆
yī jiǔ sān sān lǎo chǎng fáng
1933ろうばぼう／イイジィウサンサンラオチャンファン

　現代アートのギャラリー、カフェ、デザイナーのオフィスなどが集まる1933老場坊。1933年に建てられた上海工部局の屠畜場跡が利用され、真んなかの二十四角形の建物を中心に橋状の通り道、階段があわさった複雑な構造を残している（牛の通り道だった）。また周囲には劇場やギャラリーなどが入居する複数の建物がならぶ。

上海映画発祥の地

　中国では、1896年にはじめて上海で映画が上映され、当初は西欧人の興行主のもと、アメリカ映画やフランス映画が上映されていた。こうしたなか海寧路と乍浦路の交差点付近に、1908年、中国ではじめての映画館「虹口大戯院」が開館した。やがて1930年代には中国映画が黄金期を迎え、新たな女性像が演じられたり、左翼系知識人が映画にたずさわったりした。虹口に暮らした魯迅はハリウッド映画を大変好み、上海で124作のアメリカ映画を観たという（ハイヤーを飛ばして映画館に通ったと伝えられる）。

カフェやギャラリーが入居する1933老場坊

突き出した巨大な看板、午後路に…

魯迅公園城市案内

**虹口は中国を代表する文豪魯迅が
その生涯の最後を過ごした場所
集合住宅里弄からは当時の面影を感じられる**

四川北路／四川北路★★☆

sì chuān běi lù

しせんほくろ／スーチャンベイルウ

　　上海中心部から北に伸びる四川北路は、虹口の目抜き通りで、戦前は北四川路の名前で知られていた。1920年代から栄えるようになり、租界中心部と離れていたため、西欧人、日本人、中国人が隣りあわせて暮らしていた(この通り沿いの千愛里、永安里といった集合住宅里弄には多くの日本人が暮らしていた)。虹口を縦断する運河にかかる横浜橋は、日本の地名とは関係がない。

多倫路文化名人街／多伦路文化旅游街★★☆

duō lún lù wén huà lǚ yóu jiē

たりんろぶんかめいじんがい／ドゥオルンルウウェンファアリュウヨウジエ

　　1930年代の虹口の街並みや雰囲気を再現した多倫路文化名人街。石畳の通りが続き、魯迅、郭沫若、茅盾など虹口ゆかりの文学者や文化人の彫像、壁画が見られる。当時、虹口にはコーヒーを出す喫茶店があり、上海在住の左派文化人、文学者、演劇青年、画学生、日本留学から帰ってきた知識人たちが集まっていた(コーヒーは戦前の上海ではめずらしい飲みものだった。また明治維新を成功させた日本に多くの中国人が留学した)。通りの東側には宋靄齢の夫である孔祥熙の邸宅孔公館が残る。

魯迅公園

N

魯迅墓

虹口
足球場

魯迅公園

地鉄8号線

欧陽路

郵電
新村

虹口
足球場

魯迅
紀念館

魯迅
故居

内山書店
旧址

地鉄3号線

多倫路文化名人街

多倫路
文化名人街

地鉄10号線

四川北路

東宝
興路

中興路

横浜橋

虹口プール

地鉄3号線

海倫路

宝山路

四川
北路

海寧路

1933
老場坊

虹口(上海大厦)
まで1200m

0km   1km

上海多利倫現代美術館／上海多伦现代美术馆★☆☆
shàng hǎi duō lún xiàn dài měi shù guǎn
しゃんはいたりりんげんだいびじゅつかん／シャンハイドゥオルンシィアンダイメイシュウグァン

　多倫路文化名人街の一角に立つ現代美術館。7階建ての館内では、時期ごとに展覧会が行なわれる。2003年に開館した。

鴻徳堂／鴻德堂★☆☆
hóng dé táng
こうとくどう／ホンダァタン

　鴻徳堂は1928年に建てられたキリスト教会で、外観には赤の十字架、「上帝愛世人（神は人々を愛する）」の文言が見える（建物は、石づくりの直方体に中国伝統の屋根瓦を載せる）。虹口にはカトリックやプロテスタントなどさまざまな教会があり、宋家の三姉妹が通ったメソジスト教会「景霊堂」も位置する。

内山書店旧址／内山书店旧址★☆☆
nèi shān shù diàn jiù zhǐ
うちやましょてんきゅうし／ネイシャンシュウディエンジュウチイ

　四川北路の突きあたりに残る内山書店旧址は、日本人内山完造を店主とした書店跡。1913年、内山完造は目薬会社の社員として上海を訪れ、その妻みきが家の玄関で書籍を売りはじめた（その後、内山完造は書店業に専念した）。内山書店は日本の新聞記者や商社マン、学生などに好評で、やがて1929

多倫路文化名人街

魯迅公園

虹口
足球場

旧日本
陸戦隊本部

甜愛路

山陰路

興業坊

魯迅
故居

東照里

千愛里

四川北路

内山書店
旧址

多倫路文化名人街

地鉄3号線

永安里

溧陽路

長春路

孔公館

鴻徳堂

余慶坊

上海多利倫
現代美術館

虹口ロタリーク

四川北路

地鉄10号線

東宝
興路

横浜橋

海倫路

線号3城地

0m   500m

N

年、この地に新しい店を開き、文学、法律、宗教、科学、美術な
どさまざまな書籍があつかわれていた。内山完造は日本人、
中国人ともにわけへだてなく接したことから、人々の信用
を得、魯迅や郭沫若、田漢といった中国文人も集まるように
なった(テーブルを囲んで談笑する文学サロンになっていた)。国民党
に追われていた魯迅に身の危険がせまったとき、内山完造
がこの書店の裏口から魯迅を逃したという逸話も伝えら
れ、魯迅はここでマルクス主義関連の書籍や日本の浮世絵
画集を求めたという。

魯迅故居／魯迅故居★★☆
lǔ xùn gù jū
ろじんこきょ／ルウシュングウジュウ

魯迅が1933年から36年に没するまで許広平と暮らした
魯迅故居。レンガで組まれた3階建ての集合住宅(里弄)の一
角に残る。魯迅は広州の中山大学で文学を教えていたが、国
民党の弾圧などから1927年に上海に逃れてきた。魯迅の助
手をしていた許広平も上海に移住し、ふたりは上海で生活
をともにするようになった(ふたりの子は、上海で生まれた嬰児を
意味する「海嬰」と名づけられた)。魯迅故居には魯迅の書斎、寝室
が再現され、魯迅が使った家具などの調度品が見られる。

東照里／东照里 ★☆☆
dōng zhào lǐ
とうしょうり／ドンチャオリイ

　魯迅故居の向かいに残る里弄の東照里。20世紀初頭、日本人や中国人の文化人が多く暮らし、そのなかには革命家瞿秋白、日本人ジャーナリスト松本重治の姿もあった。瞿秋白は李立三、周恩来らとともに上海で革命を模索していた人物で、東照里の一角は瞿秋白故居となっている。また近くの興業坊には、戦後、李香蘭や川喜多長政が収容されていたほか、戦前、詩人の金子光晴が妻の森三千代とともに滞在した余慶坊なども残る（東アジア中で人気を博した歌手の李香蘭は25歳のとき上海で終戦を迎えた。日本に協力した中国人「漢奸」として死刑になるとも噂されていたが、日本人山口淑子であることが証明され、上海から日本へ帰国した）。

旧日本陸戦隊本部／日本海军陆战队本部 ★☆☆
rì běn hǎi jūn lù zhàn duì běn bù
きゅうにほんりくせんたいほんぶ／リイベンハイジュンルウチャンドゥイベンブウ

　十字路に面して立つ4階建ての旧日本陸戦隊本部。日本人居留民の保護を名目に進出した軍隊の本部がおかれたところで、虹口の治安維持にあたった。

魯迅公園／鲁迅公园 ★★☆
lǔ xùn gōng yuán
ろじんこうえん／ルウシュンゴンユゥエン

　虹口に暮らす中国人の憩いの場となっている魯迅公園。1896年に租界工部局がこのあたりの農地を買いとり、1905年に公園として整備された（上海郊外に中山公園などの公園が開かれ、当初、中国人は入園できなかった）。虹口に暮らす魯迅や日本人などが朝夕の散歩に訪れたほか、戦前の日本人が祝う行事はこの公園で行なわれた。現在はとり壊されているが、公園近くには上海神社もあった。

中国式建築で建てられた鴻徳堂

魯迅が晩年を過ごした魯迅故居

朝からならぶ露店と商品を選ぶ人々

魯迅公園内にある魯迅紀念館にて

魯迅と内山完造の友情が伝えられる内山書店旧址

魯迅墓／鲁迅墓 ★☆☆
lǔ xùn mù
ろじんぼ／ルウシュンムウ

　魯迅公園の一角に残る作家魯迅の墓。魯迅の銅像が立ち、墓碑には毛沢東の筆による「魯迅先生之墓」の文字が見える。魯迅は国民党政府に追われながら、北京、厦門、広州を転々とし、1936年、上海でなくなった。当初、外国人用の墓地(現在の宋慶齢陵園)に埋葬されていたが、1956年にこちらに移された。

魯迅紀念館／鲁迅纪念馆 ★☆☆
lǔ xùn jì niàn guǎn
ろじんきねんかん／ルウシュンジイニィエングァン

　魯迅の手書き原稿、文具、蔵書、調度品といった展示が見られる魯迅紀念館。魯迅は国民党を批判した左翼系作家として中華人民共和国成立後、高く評価されるようになった。この魯迅紀念館は1951年に建立され、現在の建物は1999年に再建されたもの。

筆で地面に書を記していく、魯迅公園にて

戦前に建てられた里弄、日本人も里弄に暮らしたという

かつて多くの文人がこのあたりに暮らした。多倫路文化名人街

文学と里弄の風景

魯迅や郭沫若といった文学者
虹口には多くの文化人が暮らし
20世紀初頭の里弄が今でも見られる

虹口に残る里弄

　里弄は19世紀、急増する上海の人口にあわせて誕生した集合住宅(長屋)で、ひとつの入口と路地を住人が共有した(路地からは、植木や洗濯、バケツなど人々の生活を感じられる)。レンガを使った西欧の要素と、間取りや「虎口天窓(採光窓)」などで江南の要素があわさり、里弄の様式は時代とともに変化した。旧式の里弄は2階建てだったが、虹口では3階建ての新式里弄が見られ、虹口に暮らした日本人も里弄に暮らしていた。2010年の上海万博にあわせて多くの里弄がとり壊され、再開発が進められたが、虹口には今でも当時の里弄が残っている。

魯迅とその文学

　中国が弱体化し、西欧の影響を強く受けるようになった時代に生きた魯迅(1881〜1936年)。魯迅は医師を目指して日本に留学していたが、やがて文学を志すようになった。旧来の封建社会を批判した『狂人日記』『阿Q正伝』といった作品を発表し、魯迅は中国知識人層に強い影響をあたえた。『狂人日記』では「人が自分を食べようとする」という主人公の心理を通して、封建社会の因習を批判した。また『阿Q正伝』

では、喧嘩に負けようとも自分に都合のよい解釈をする「精神勝利法」をもつ日雇い農民の阿Qが、それに気づかないまま処刑される様子を描いた（西欧列強に侵略されていく中国を映したものだという）。

作家たちが見た上海

長崎と航路で結ばれていた上海には、多くの日本人作家が足跡を残している。代表的なのは自身の「支那趣味」から中国古典を題材にした小説を書いた芥川龍之介で、『上海游記』を記している。また『上海交友記』を記した谷崎潤一郎は、内山書店の内山完造を通して田漢、郭沫若らの中国文人と接した（短い会話が1行に扱われる日本と、文字を原稿用紙いっぱいに詰めて書く中国の原稿料の違いについてのやりとりも見える）。そのほかにも、佐藤春夫、横光利一、武田泰淳、林京子、井上ひさしといった人々も上海を訪れている。

Dong Hong Kou

東虹口城市案内

黄浦江沿いにならんだ倉庫や埠頭
虹口クリーク（運河）の東側には
上海へ流入してきた中国人の暮らしぶりがあった

上海港客運中心／上海港国际客运中心★☆☆

shàng hǎi gǎng guó jì kè yùn zhōng xīn

しゃんはいこうきゃくうんちゅうしん／シャンハイガングゥオジイカアユンチョンシン

　虹口クリークが黄浦江に合流する地点に位置する上海港
客運中心。このあたりの埠頭は戦前、日本郵船によって開発
され、現在では上海と日本をふくむ各都市を結ぶ客船が往
来している。かつては虹口クリークを通じて物資が内陸へ
と運搬された。

日本と上海の航路

　1871年の日清修好条規で日本の上海進出がはじまり、そ
の翌年、日本領事館が開設された。1875年には三菱商会に
よる横浜上海定期航路が開かれ、虹口碼頭は1888〜90年に
日本郵船によって整備された（日本と上海の航路は、西欧の会社に
独占されていたが、三菱がアメリカのもっていた航路や船舶、埠頭などを
手に入れた）。また上海港客運中心の東側に位置する匯山碼頭
には長崎丸や上海丸といった長崎と上海を結ぶ定期航路の
桟橋があった。

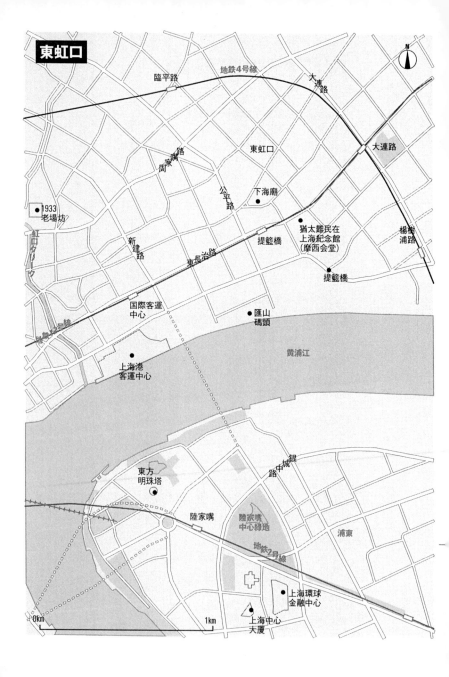

東虹口

臨平路
地鉄4号線
大連路
大連路

東虹口
周家嘴路
公平路
下海廟
1933
老場坊
猶太難民在
上海紀念館
(摩西会堂)
楊樹浦路
新建路
東長治路
提籃橋
提籃橋
国際客運
中心
匯山
碼頭
上海港
客運中心
黄浦江

東方
明珠塔
銀城中路
陸家嘴
陸家嘴
中心緑地
浦東
地鉄2号線
上海環球
金融中心
上海中心
大厦

0km
1km

東虹口／东虹口★☆☆

dōng hóng kǒu

ひがしこうこう／ドンホンコウ

虹口クリーク(運河)よりも東側は東虹口と呼ばれ、中国人家屋が密集し、紡績関連の工場がならんでいた。土地や物価が安かったことから、東虹口から楊樹浦にかけては19世紀以来、中国人街が形成されていた。都市名の由来となった「上海」に対する「下海」があったのもこのあたりで、下海浦にかかる提籃橋界隈がこのあたりの繁華街だった。

下海廟／下海庙★☆☆

xià hǎi miào

かかいびょう／シァハイミャオ

上海で暮らす漁師たちの信仰を集めてきた下海廟。乾隆帝時代の18世紀に建てられ、いくどか破壊、消失の憂き目にあったが、現在は再建され、中国の伝統建築のたたずまいを見せる。夏海廟とも呼ばれる。

猶太難民在上海紀念館／犹太难民在上海纪念馆★☆☆

yóu tài nàn mín zài shàng hǎi jì niàn guǎn

ゆだやなんみんざいしゃんはいきねんかん／ヨウタイナンミンザイシャンハイジイニィエングァン

猶太難民在上海紀念館は、20世紀初頭、ナチスの迫害を逃れて上海で難民生活を送ったユダヤ人に関する博物館。租界のなかで土地の安かった虹口には多くのユダヤ人が暮らしていた(また戦争中の1943年、日本軍はユダヤ人の居住を虹口東部へ

と移住、隔離している)。摩西会堂はユダヤ教の礼拝堂シナゴーグとして知られる。

上海のユダヤ人

　上海のユダヤ人には、サッスーン財閥をはじめとして商人として成功をおさめた人々と、1930年代後半からナチス・ドイツの迫害を避けるためヨーロッパ各地から上海に逃れてきた人々に大別された(中国官憲の支配がおよばない上海租界は、世界で唯一ビザの必要のない街だった)。ユダヤ教のシナゴーグや学校がサッスーン財閥の援助で建設されるなど、上海には極東で最大のユダヤ人社会があった。戦後、ユダヤ人の多くはアメリカやイスラエル(パレスチナ)へ移住していった。

虹口と市街北部／蘇州河以北と日本人の「足跡」

再開発が進む東虹口、夕陽が街を染めている

横浜橋から見た虹口クリーク

毛沢東の肖像が見える、湖南料理店

匯山碼頭／汇山码头 ★☆☆

hui shān mǎ tóu

かいさんまとう／フイシャンマアトウ

　1842年に上海の開港が決まってまもなく、匯山碼頭あた
りにイギリスによる浮き桟橋がもうけられた(浮き橋は、水面
の上昇下降に対応できた)。その後、埠頭が整備され、ここは長崎
丸、上海丸など長崎と上海を結ぶ船が往来し、多くの日本人
にとって第一歩を記す場所として知られた。日本人は、この
匯山碼頭から人力車に乗って虹口の日本人居住区を目指し
たという。

上海の紡績工場

　黄浦江に面した虹口や楊樹浦一帯には綿花をあつかう紡
績工場がならんでいた(産業革命後に工業化された)。丈夫で、肌
触りがよく安価な綿花は、衣食住のひとつを占めることか
ら「白い黄金」にもたとえられるほどだった。とくに上海近
郊では農作物として品質のよい綿花が収穫され、低賃金で
働く中国人労働者が多く、くわえて膨大な綿製品の買い手
人口がいた。明治政府の大陸進出政策が進められるなか、
1902年、三井物産上海支店は楊樹浦の紡績工場を買収し、日
本の紡績関連会社も上海へ進出した。またこの時代、三井物
産が豊田佐吉の動力織機に注目し、大量生産された綿製品
を中国で販売したことも特筆される(それまでの手による紡績が
一般的だったが、豊田佐吉は機械による紡績を発明した。上海長寧区には
上海豊田紡織廠紀念館が残る)。

東方明珠塔の奥が虹口、長崎と上海を結ぶ船が行き交った

普陀城市案内

**上海を代表する玉佛禅寺
また現代アートを発信する莫干山路50号
南京西路の北側に広がる街並み**

玉佛禅寺／玉佛禅寺★★☆

yù fú chán sì
ぎょくふつぜんじ／ユウフウチャンスー

　清代の1882年に建てられ、上海の仏教拠点となっている玉佛禅寺。普陀山の仏僧慧根が仏法を求めて、チベット、ミャンマーへと旅を続け、彼の地の華僑から受けとった5体の玉仏を上海に安置したことをはじまりとする(帰路、普陀山に荷物をおろすことができなかった)。1918年に現在の地で再建され、仏僧慧根ゆかりの涅槃像と坐像の2体の玉製の仏像を安置する。臨済宗のお寺のため、禅寺と呼ばれ、天王殿、大雄宝殿といった伽藍が展開する。

文革で破壊された仏教寺院

　1960年代に起こった文化大革命(文革)では、毛沢東や四人組の指導のもと、古い思想、古い文化、古い風俗、古い習慣の打破がさけばれ、キリスト教や仏教、儒教などは迫害対象になった(20世紀前半の上海には3000人を超える仏僧がいたと言われるが、1976年には老僧が28人いるばかりだった)。文革時代、上海静安寺は工場になり、龍華寺は紅衛兵に破壊されていたが、玉仏禅寺は国家文物として保護されていたため、1979年以降、いち早く復活した。

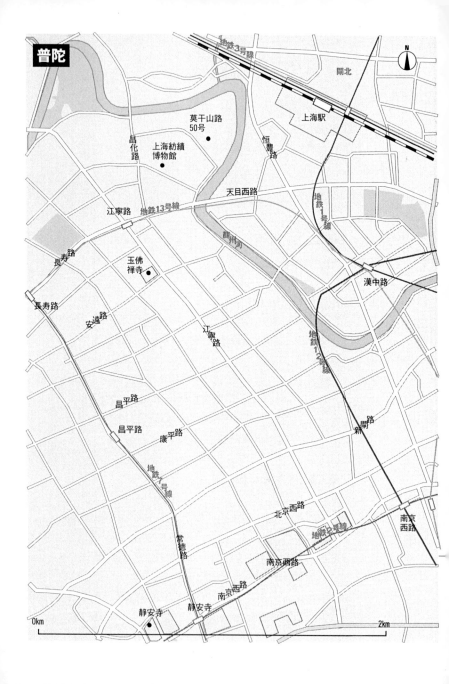

普陀

関北

上海駅

莫干山路
50号

昌化路

上海紡績
博物館

恒豊路

天目西路

江寧路　地鉄13号線

蘇州河

地鉄1号線

長寿路

玉佛
禅寺

漢中路

長寿路

安遠路

江寧路

地鉄12号線

昌平路

昌平路

康平路

新閘路

地鉄7号線

北京西路

南京西路

常徳路

地鉄2号線

南京西路

南京西路

静安寺

静安寺

0km

2km

地鉄3号線

N

莫干山路50号／莫干山路50号 ★★☆

mò gàn shān lù wǔ shí hào

もーかんさんろごじゅうごう／モオガンシャンルウウシイハオ

　　莫干山路50号(M50)は、1930年代に建てられた紡績工場を改装して再利用した現代アートの発信地(蘇州河のほとりには、その水運を利用した倉庫や工場がならんでいた)。ギャラリー、カフェ、スタジオ、アーティストやデザイナーが入居するオフィスが集まっている。中国の現代アートは21世紀に入ってから世界的に評価されるようになり、上海ではこの莫干山路50号のほか、集合住宅里弄を改装した田子坊、屠殺場を再利用した1933老場坊などのエリアが知られる。

★★☆

玉佛禅寺／玉佛禅寺 ユウフウチャンスー

莫干山路50号／莫干山路50号 モオガンシャンルウウシイハオ

★☆☆

蘇州河／苏州河 スーチョウハア

閘北／闸北 チャアベイ

上海駅／上海站 シャンハイチャアン

玉佛禅寺は上海を代表する仏教寺院

21世紀に入って現代アートが脚光をあびるようになった

Zha Bei
閘北城市案内

上海駅とその北側に広がるエリア閘北
19世紀、上海の発展とともにこの地に流入した
中国人街として知られていた

閘北／闸北 ★☆☆
zhá běi
こうほく／チァアベイ

　閘北とは蘇州河の「水門の北」を意味し、中国人からは
「ザーベイ」、虹口の日本人からは「ザホク」の名前で親しま
れてきた。20世紀初頭、蘇州河の水運や上海駅に到着する
鉄道を利用して流入してきた中国人が集住し、閘北の紡績
工場で労働に従事する姿があった（このあたりは1932年の第一次
上海事変で日本軍と中国軍が激戦を交わした場所でもあった）。蘇州河
から上海駅にいたるこのあたりは海抜0m地帯で、中国人た
ちは近年にいたるまで下水道や洗面所もない劣悪な環境の
もとで暮らしていた。

上海駅／上海站 ★☆☆
shàng hǎi zhàn
しゃんはいえき／シャンハイチァアン

　上海と各地方都市を鉄道で結び、この街の玄関口となっ
ている上海駅。租界と中国本土のちょうど境だったこのあ
たりには20世紀初頭まで発電所や倉庫が広がっていたが、
1909年、現在の上海駅の前身となる上海北駅が完成した（長
江に面した呉淞へ続く松滬鉄道、また南京との鉄道が往来した）。現在の
上海駅は1987年に完成し、虹橋総合交通ターミナルの登場

で再び、上海北駅とも呼ばれている。

上海鉄路博物館／上海铁路博物馆★☆☆
shàng hǎi tiě lù bó wù guǎn
しゃんはいてつろはくぶつかん／シャンハイティエルウボオウグァン

　1909年竣工の旧上海北駅を利用して開館した上海鉄路博物館。中国要人が乗車した車両、蒸気機関車、鉄道建設の資料などが展示されている。2004年に開館した。

上海から敷かれた鉄道

　中国で最初の鉄道は、イギリス商人の手によって1877年に上海から長江に面した呉淞に向かって敷かれた(松滬鉄道)。当時、清朝官吏のあいだには西欧文明を積極的に受け入れる洋務派とそうでない人たちがいた(そのため最初の鉄道は開通後に買収され、機関車は川底に沈められた)。こうしたイギリスやアメリカ主導の鉄道敷設のねらいは、中国の綿花や鉱山物などの資源を運び出し、また西欧の工業製品を中国に運ぶことにあった。清朝末期、日清戦争や義和団の乱が起こるなか、西欧列強は軍事費や賠償金を清朝に貸しつけ、鉄道、鉱山などをその担保にとり、金融的支配を強めていった。

★★☆
上海馬戯城／上海马戏城 シャンハイマアフウチャン
莫干山路50号／莫干山路50号 モオガンシャンルウウウシイハオ
魯迅公園／鲁迅公园 ルウシュンゴンユウエン
四川北路／四川北路 スーチャンベイルウ

★☆☆
閘北／闸北 チャアベイ
上海駅／上海站 シャンハイチャアン
上海鉄路博物館／上海铁路博物馆 シャンハイティエルウボオウグァン
宋教仁墓／宋教仁墓 ソンジャオレンムウ
蘇州河／苏州河 スーチョウハア

宋教仁墓／宋教仁墓★☆☆

sòng jiào rén mù

そうきょうじんぼ／ソンジャオレンムウ

　宋教仁(1882〜1913年)は清朝から中華民国にいたる近代中国で、孫文のもとで活動した湖南省生まれの革命家。1904年に上海から日本に亡命し、1905年、孫文を総理とする秘密結社中国同盟会に参加した(明治維新と近代化を成功させた日本には多くの中国人が留学していた)。1911年の辛亥革命後も、中国では軍閥が割拠して混乱が続くなか、宋教仁は上海で雑誌や新聞に寄稿、政党内閣を樹立しようと考えていた(1912年、憲法にあたる国民党宣言を起草している)。こうした宋教仁の動きは清朝の流れを組む袁世凱の憎むところとなり、1913年、北京に向かう途上の上海北駅のプラットフォームで暗殺された。宋教仁は上海の鉄道病院で死去し、やがて閘北公園に葬られた。

上海馬戯城／上海马戏城★★☆

shàng hǎi mǎ hù chéng

しゃんはいまぎじょう／シャンハイマアフウチャン

　上海馬戯城は、金色の外観をもつ上海雑技(サーカス)専用の劇場。音と光、歌、踊り、武術などの要素をくわえた『ERA-時空之旅』が上演されている(伝統的な上海雑技が現代風にアレンジされ、複合芸術の域に高められている)。上海雑技(サーカス)は、ここ上海馬戯城のほか、商城劇院、雲峰劇院、白玉蘭劇場などで上演されている。

上海雑技団

　棒まわしや軟体少女、一輪車、球体のなかのバイクなどで世界最高峰の技術をもつという上海雑技団。中国では古くから皇帝や官吏を楽しませるための雑技(サーカス)が演じられてきたが、とくに近代上海では曲芸師が茶屋や劇場で

人々を楽しませた。上海馬戯城の雑技は西欧サーカスの影響を受け、中国伝統の雑技の技に現代的な要素(ミュージカル)がくわえられている。演技者は子どものころから1日10時間もの特訓を受けて、舞台にあがるという。

Yang Pu

楊浦城市案内

上海市街北東側に広がる楊浦
かつて上海新都心の建設が模索された場所で
現在は上海市街とひとつながりになっている

五角場／五角场 ★☆☆
wǔ jiǎo chǎng
ごかくじょう／ウージャオチャアン

　5つの道が放射状に伸びる五角場は、1920年代に立てられた大上海計画の起点として整備された(五叉路のすぐ北側に西欧租界に代わる都市の建設が計画された)。現在は周囲に高層ビルが林立する商業地域となっている。

大上海計画

　1842年に開港が決まった上海は、西欧の租界を中心にめざましい発展をとげた。1920年代、国民党の蒋介石はこうした租界に対抗すべく、租界の港湾機能などを奪う「新たな上海」を黄浦江の下流につくろうとした(虹口と楊樹浦の北側の原野に、フランスのパリを彷彿とさせる計画都市が構想された。この計画は孫文時代にも考えられていた)。この新市街は1932年に上海事変が勃発し、日本の上海進出が進むなかで消えてしまったが、五角場の街区や中国の伝統建築の上海体育学院などでその面影を感じることができる。

楊浦

N

新江
湾城
新江湾城
地鉄3号線
上鉄1号線
市光路
嫩江路
上海
体育学院
翔殷路
五角場
五角場
黄浦江
邯鄲路
黄興路
鐡興
公園
復興島
上海国際
設計中心
同済
大学
地鉄8号線
四平路
地鉄10号線
魯迅
公園
地鉄4号線
内環
路
虹口
猶太難民在
上海紀念館
(摩西会堂)
地鉄6号線
東方
明珠塔
浦東
0km
5km
南京
東路

上海体育学院／上海体育学院 ★☆☆
shàng hǎi tǐ yù xué yuàn
しゃんはいたいいくがくいん／シャンハイティイユウシュエユウェン

　中国の伝統的な建築様式をもつ上海体育学院。1935年に建てられ、市政府、市博物館、市図書館も同様の中国様式となっていた。体育館はじめ、野球場、テニスコート、プールなどを併設する。

上海国際設計中心／上海国际设计中心 ★☆☆
shàng hǎi guó jì shè jì zhōng xīn
しゃんはいこくさいせっけいちゅうしん／シャンハイグゥオジイシェエジイチョンシン

　同済大学のキャンパス内に位置する上海国際設計中心。この理工系大学は、1907年、ドイツ人の創立した医学堂を前身とする。壁面をガラスで覆われた建物は、オフィス、展示室をそなえ、上海のデザイン発信拠点となっている。

復興島／复兴岛 ★☆☆
fù xīng dǎo
ふっこうと／フウシンダオ

　復興島はもとは陸とひとつながりだったが、黄浦江の土砂堆積対策やバイパス機能をもつ運河を開削することで島になった。1910年に完成したオランダ人技師による運河はアストリア水道と名づけられ、日本統治時代、復興島は昭和島と呼ばれていた。

路上では人々の営みが見られる

音と光、歌、踊りの複合芸術が堪能できる上海馬戯城

黄浦江の流れがこの街の命運をにぎってきた

膨大な数の人、バイク、車が行き交う

日本人の上海進出

**江戸時代の1858年、日米通商条約で横浜などが開港された
その15年前の1842年、隣国の清はアヘン戦争に敗れ
開港した上海には、イギリスによる租界が広がっていた**

高杉晋作の見た上海

　日本人と上海の関係は、1862年、江戸幕府の命で派遣された高杉晋作らにはじまる。千歳丸に乗った一行は、長崎から7日半をかけて上海にたどり着いた。高杉晋作は「上海は中国第一の繁栄する港である。欧州各国の商船・軍艦が数千艘停泊し、帆柱が林立して港を埋めんばかり。陸上では各国の商館が壁面を連ねて、まるで城閣のようである」と記している。2か月のあいだ上海に滞在し、日本にはない石づくりの建築(外灘)、西欧文明、また西欧人に使われている中国人を目のあたりにした一行の多くは帰国後、倒幕へ傾くことになった。日本は、西欧列強に半植民地化された清国を反面教師として明治維新を成功させたほか、日本最初の和英辞典(ヘボン著)は1867年、上海で印刷されて日本に運ばれている。

日本人上海へ

　1871年、日清修好条規が締結されると、日本人が上海に進出し、とくに1894〜95年の日清戦争後にそれが加速した。伊藤博文、陸奥宗光と李鴻章のあいだで結ばれた下関条約で、日本は上海租界で治外法権をもつことになり、このとき

青空に瓦が映える、中国の伝統建築

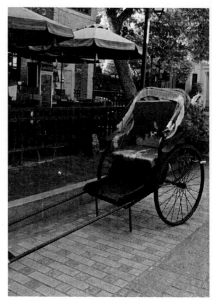
明治時代、日本から上海に伝わった人力車

得た莫大な賠償金で八幡製鉄所が建設された(これによって日本の近代化、産業革命が進んだ)。1904〜05年の日露戦争の勝利、長崎から船ですぐという距離もあって日本の上海進出は続いた。19世紀末には数百人だった日本人も1915年にはイギリス人を超える数になり、1930年には2万人の日本人が虹口を中心に集住した(外国人で最大規模だった)。

上海事変と日中戦争

日本の大陸政策が進むなか、上海には日本人居留民保護の名目で日本の軍隊が駐屯していた。とくに満州事変翌年の1932年の第一次上海事変、盧溝橋事件が起こった1937年の第二次上海事変と戦火は上海に飛び火した(日本軍と中国軍が上海で軍事衝突した)。1937年の第二次上海事変では、日本軍の別部隊が上海南部の杭州湾に上陸し、そのまま戦線は南京など内陸部へ広がっていった(日中戦争)。このとき日本人が暮らす上海虹口では、「日軍百万杭州湾上陸」のアドバルーンがあがったという。戦前の上海には最大で10万人の日本人が暮らしていたが、この水準は2010年の常駐と短期旅行者をふくめた日本人滞在者の数と同じ規模とされる。

『上海共同租界』(NHK"ドキュメント昭和"取材班/角川書店)

『上海歴史ガイドマップ』(木之内誠/大修館書店)

『上海に生きた日本人』(陳祖恩/大修館書店)

『上海虹口地区の旧日本人街における空間構成と居住形態』(笹井夕莉・陳雲蓮・大場修/学術講演梗概集)

『虹口史』(金久実央/グローカル)

『蘇州河に生きる』(人民中国)

『魯迅』(片山智行/中央公論社)

『そんへえ・おおへえ』(内山完造/岩波書店)

『世界大百科事典』(平凡社)

[PDF]上海地下鉄路線図http://machigotopub.com/pdf/shanghaimetro.pdf

[PDF]上海浦東国際空港案内http://machigotopub.com/pdf/shanghaiairport.pdf

[PDF]上海虹橋国際空港案内http://machigotopub.com/pdf/shanghaihongqiaoairport.pdf

OpenStreetMap

(C)OpenStreetMap contributors

虹口と市街北部／蘇州河以北と日本人の「足跡」

まちごとパブリッシングの旅行ガイド

Machigoto INDIA , Machigoto ASIA , Machigoto CHINA

マカオ-まちごとチャイナ

Juo-Mujin（電子書籍のみ）

自力旅游中国Tabisuru CHINA

虹口と市街北部

虹口

虹口（上海大厦）

N

0m　　　　500m

魯迅公園

多倫路文化名人街

0m   500m

N

東虹口

普陀

N

0km 2km

闸北

N

0km   2km

楊浦

N

0km 5km

【車輪はつばさ】
南インドのアイラヴァテシュワラ寺院には
建築本体に車輪がついていて
寺院に乗った神さまが
人びとの想いを運ぶと言います

An amazing stone wheel of the Airavatesvara Temple
in the town of Darasuram, near Kumbakonam in the South India

まちごとチャイナ
上海 005

虹口と市街北部
蘇州河以北と日本人の「足跡」
[モノクロノートブック版]

「アジア城市（まち）案内」制作委員会
まちごとパブリッシング
http://machigotopub.com

・本書はオンデマンド印刷で作成されています。
・本書の内容に関するご意見、お問い合わせは、発行元の
　まちごとパブリッシング info@machigotopub.com までお願いします。

まちごとチャイナ
新版 上海005虹口と市街北部
〜蘇州河以北と日本人の「足跡」

2020年 8月15日　発行

著　者	「アジア城市（まち）案内」制作委員会
発行者	赤松　耕次
発行所	まちごとパブリッシング株式会社
	〒181-0013　東京都三鷹市下連雀4-4-36
	URL http://www.machigotopub.com/
発売元	株式会社デジタルパブリッシングサービス
	〒162-0812　東京都新宿区西五軒町11-13
	清水ビル3F
印刷・製本	株式会社デジタルパブリッシングサービス
	URL http://www.d-pub.co.jp/

MP305